PARIS
CHATS

PARIS CHATS

PARIGRAMME

« J'aime dans le chat
cette indifférence
avec laquelle il passe
des salons à
ses gouttières natales. »

François-René de Chateaubriand

"What I like about the cat
is the indifference with which
it passes from the salon
to the gutter trough."

Calling all felines! Where have you been hiding? In Paris, like anywhere else in the world, and perhaps even more so here. According to Paris City Hall, the capital of France is home to around 500 worthy descendants of Thomas O'Malley. And yet although the city's cat race and cat keeping-tradition are alive and well, numbers remain strikingly low, especially since the population now largely enjoys a cozy domestic existence. Why live a dog's life when you're a cat? The problem is that cats are becoming a lesser-spotted species. This was not the case a few carefree decades ago, way back when concierges could leave a door or a window ajar, and old shops miraculously managed to stay open – the sort whose clients were few and far between but whose cat never left the shop window.

Half in, half out on the prowl, independent yet molly-coddled, free-spirited yet not people-shy. In sum, a cat's ideal existence is the average Parisian's ideal existence. They are two of a kind.

Unsurprisingly, it's far from the roaring traffic's boom, mostly in the areas which haven't lost any of their original charm and authenticity, that cats can still be found roaming at their leisure. It is here that you'll spot them peeping through a garden gate, watching the world go by from the comfort of their favorite wall or glimpse kittens playfully wrestling in the street. Such scenes never fail to enchant; "*chat, c'est* Paris"!

Chat y es-tu ? Oui, il est là, bien sûr...

À Paris comme ailleurs – et peut-être davantage si on veut bien considérer le *felinus gouttierus gouttierus* comme une espèce au rayonnement strictement local dont on serait bien en peine de trouver quelque représentant hors de la capitale. Intramuros, il y aurait selon les sources autorisées de la Mairie un bon demi-millier de dignes descendants de Thomas O'Malley. L'honneur est sauf et la tradition préservée !

Mais l'effectif demeure dérisoire comparé à une population dûment domiciliée, goûtant le plus clair de son temps les joies de la sédentarité dans un nid douillet. Pourquoi vivrait-on une vie de chien quand la nature vous a fait chat ?

L'ennui, c'est qu'on se voit moins. En tout cas, moins qu'il y a quelques années ou peut-être même quelques décennies, quand la frontière était plus poreuse entre l'espace public et le domaine privé. L'époque dont nous voulons parler était celle où une fenêtre pouvait rester entrouverte dans un quartier tranquille où tout le monde connaissait tout le monde. Celle où la concierge ne voyait pas l'utilité de cadenasser sa loge à double tour, vu qu'elle ne s'en éloignait jamais très longtemps. Celle où survivaient, on ignore par quel miracle, des boutiques vieillottes auxquelles on ne connaissait guère de clients mais dont le chat « de la maison » avait immanquablement annexé la vitrine. Celle, en un mot, d'un Paris populaire dont on sait qu'il jeta ses derniers feux avec le déménagement des Halles. Ce mode de vie, mi-dehors, mi-dedans, à la fois indépendant et protégé, libre mais pas sans sociabilité... qu'était-ce d'autre sinon un idéal de chat ? Et un idéal de Paris, soit dit en passant.

Il faut croire que ces deux-là font la paire ! L'un étant le témoin de l'autre, ce n'est pas un hasard si c'est généralement dans les quartiers qui nous charment le plus pour avoir su garder une part de leur authenticité, dans les villages épargnés par les vrombissements intempestifs, qu'il nous est aujourd'hui donné de voir un minet passer la tête à travers la grille d'un jardinet, un matou nous contempler sans ciller depuis le sommet du mur où il a élu domicile, deux chatons multiplier les cabrioles sur le pavé. Et ces visions, immanquablement, nous enchantent ; chat, c'est Paris !

André Kertész
Chien et chat, 1928.
Dog and Cat, 1928.

© Centre Pompidou, MNAM-CCI,
Dist. RMN-Grand Palais/Philippe Migeat

Willy Ronis
Le chat de la concierge, Ménilmontant, 1947.
The Caretaker's Cat, Ménilmontant, 1947.

Henri Cartier-Bresson
Chat à sa fenêtre, 1955.
Cat in the window, 1955.
© Henri Cartier-Bresson/Magnum Photos

Page 14

Janine Niepce

Dans une cour de la rue de Tournon
(6ᵉ arrt), 1957.
*In a courtyard of Rue de Tournon
(6ᵗʰ arrt), 1957.*

© Janine Niepce/Roger-Viollet

Léon Claude Vénézia

Dans une arrière-cour de la rue Piat
(20ᵉ arrt), vers 1968.
*In the back-yard of Rue Piat
(20ᵗʰ arrt), circa 1968.*

© Léon Claude Vénézia/Roger-Viollet

Pages 16-17
Sanford H. Roth
Dans une vitrine polyglotte de Montmartre.
A Multilingual shop window in Montmartre.
© Sanford H. Roth/Sanchez-Ross/Rapho

Willy Ronis
Chat curieux.
Curious Cat.
© Succession Willy Ronis/Diffusion Agence Rapho

Brassaï
Chat au rideau de dentelle, 1937.
Cat with Lace curtains, 1937.

© RMN-Grand Palais/Michèle Bellot

Pages 20-21
Martine Franck
Chat aux petites voitures, 1984.
A Cat with some toy cars, 1984.

© Martine Franck/Magnum Photos

Janine Niepce
Chien et chat devant une vitrine, années 1950.
Dog and Cat in front of a 1950s shop window.

© Janine Niepce/Roger-Viollet

Pages 26-27
Jacques Loïc
Toute la loi, rien que la loi... Dans une
boulangerie de la rue Ernest-Renan
(15ᵉ arrt), 1978.
*No Dogs allowed at a Bakery
on Rue Ernest-Renan (15ᵗʰ arrt), 1978.*

© Jacques Loic

25

Anonyme

Colette et ses chats, vers 1920.

French Novelist Colette with her cats,
circa 1920.

© Keystone-France

Anonyme
Jean Cocteau, Foujita et le roi
du concours des chats, 1950.
*Jean Cocteau with Foujita and
the "King" of the Best Cat Competition.*
© Bettmann/Corbis

Page 33
Burt Glinn
Françoise Sagan et son premier
lecteur, 1958.
*Françoise Sagan and her first
proof-reader, 1958.*
© Burt Glinn/Magnum Photos

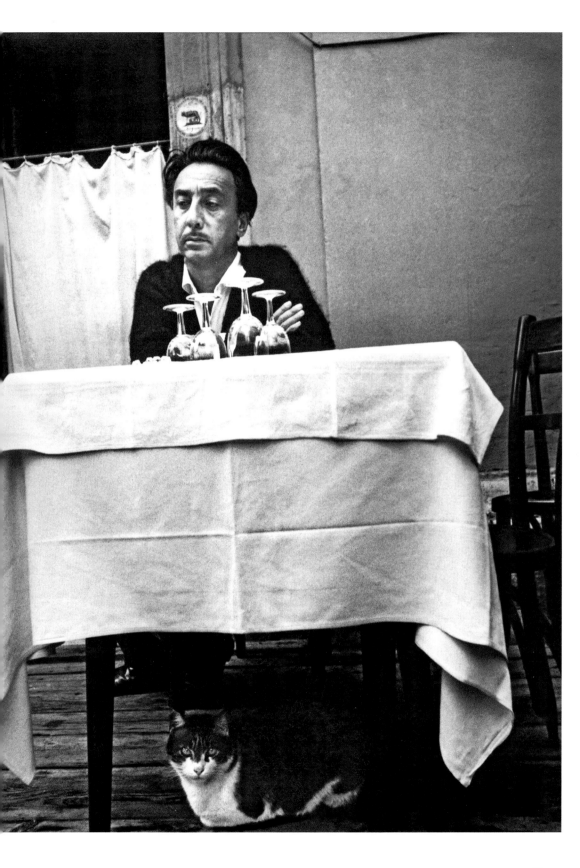

Page 32

Harold Chapman

Diane Barker, modèle américain,
et le chat de la maison,
au Beat Hotel, rue Git-le-Cœur
(6ᵉ arrt), 1957.

*American Model Diane Barker
and the Resident Cat at the Beat
Hotel (6th arrt), 1957.*

© Harold Chapman/TopFoto/
Roger-Viollet

Page 33

Sam Shaw

Romain Gary et un fidèle
compagnon, 1960.

*Franco-Russian Writer
Romain Gary and his faithful
companion, 1960.*

© Sam Shaw Inc./Roger-Viollet

Izis

Prévert et le chat, 1946.
Jacques Prévert with a cat, 1946.

© Izis

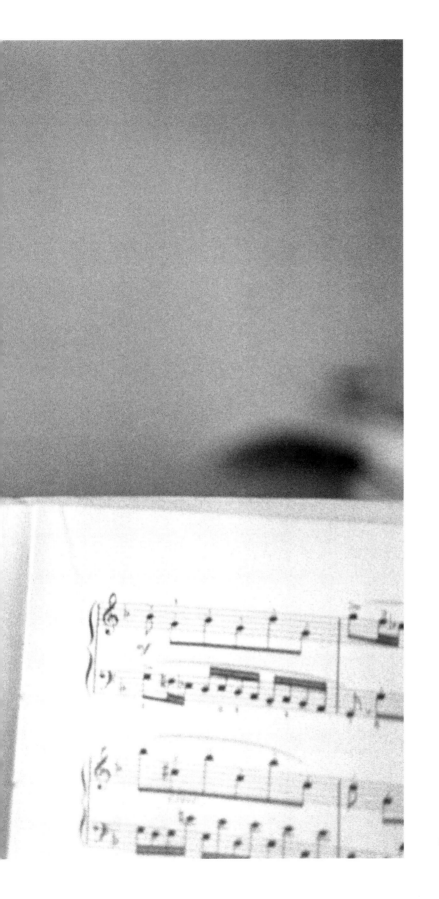

Édouard Boubat
Chat mélomane, 1982.
Cat with Sheet Music, 1982.

© Édouard Boubat/Rapho

Michel Sfez
Dans la cour du 35, rue du Retrait (20ᵉ arrt).
In the courtyard of 35 Rue du Retrait (20ᵗʰ arrt).

Page 40
Anonyme
Chat en laisse, 1929.
Cat on a leash, 1929.

Anonyme
Chats siamois et leur
maîtresse, 1930.
Siamese Connection, 1930.

Anonyme

À la fontaine, 1932.

Cat at a fountain,
1932.

© BnF/Agence de presse
Mondial Photo-Presse

Page 43

Michel Sfez

Dans une vitrine de la rue
Raymond-Losserand (14e arrt), 1997.

A shop window on Rue
Raymond-Losserand (14th arrt), 1997.

© Michel Sfez/Kharbine Tapabor

Michel Sfez

Dans le jardin de La Ruche,
passage Dantzig (15ᵉ arrt), 1994.

In the gardens of La Ruche,
Passage Dantzig (15ᵗʰ arrt), 1994.

© Michel Sfez/Kharbine Tapabor

Page 47
Jean Mounicq

Dans une cour de la rue de Turenne
(4ᵉ arrt), 1960.

In a courtyard of Rue de Turenne
(4ᵗʰ arrt), 1960.

© Jean Mounicq/Roger-Viollet

Pages 48-49
Michel Sfez
Au cimetière du Père-Lachaise
(20ᵉ arrt), 1991.
*Père-Lachaise Cemetery
(20ᵗʰ arrt), 1991.*

© Michel Sfez/Kharbine Tapabor

Brassaï
La concierge et ses chats, 1946.
The Caretaker and her cats, 1946.

© Centre Pompidou, MNAM-CCI,
Dist. RMN-Grand Palais

Page 51
Ian Berry
Au cimetière du Père-Lachaise
(20ᵉ arrt), 1963.
*Père-Lachaise Cemetery
(20ᵗʰ arrt), 1963.*

© Ian Berry/Magnum Photos

Page 52
Michel Sfez
À la cité des Fleurs
(17ᵉ arrt), 1988.
*The Cité des Fleurs
(17ᵗʰ arrt), 1988.*

© Michel Sfez/Kharbine Tapabor

Jacques Loïc
Au cimetière
de Montmartre
(18ᵉ arrt), 1980.
*Montmartre Cemetery
(18ᵗʰ arrt), 1980.*

© Jacques Loïc

Jean Mounicq
Dans les jardins de la Cité fleurie,
65, boulevard Arago (13ᵉ arrt), 1979.
*In the gardens of the Cité fleurie,
boulevard Arago (13ᵗʰ arrt), 1979.*

Page 55
Michel Sfez
Passage Frequel (20ᵉ arrt), 1987.

Michel Sfez
Rue de la Mare (20ᵉ arrt), 1986.

© Michel Sfez/Kharbine Tapabor

Robert Doisneau
Les concierges au chat, 1950.
The Caretakers with their Cat, 1950.
© Robert Doisneau/Rapho

Sanford H. Roth
Cohabitation pacifique
boulevard Arago (13ᵉ arrt).
*Living life in peace
on Boulevard Arago (13th arrt).*

Anonyme
Au café, 1933.
In a Cafe, 1933.
© BnF

Page 60
Henri Cartier-Bresson
Au café, 1953.
In a Cafe, 1953.
© Henri Cartier-Bresson/Magnum Photos

61

Anonyme
Chat de ruisseau, 1932.
Cat fishing, 1932.

© BnF

Page 62
André Kertész
Rue des Ursins (4ᵉ arrt), vers 1930.
Rue des Ursins (4ᵗʰ arrt), circa 1930.

© Ministère de la Culture - Médiathèque du
Patrimoine, Dist. RMN-Grand Palais

Pages 64-65
Jean Pottier
À la halle aux vins de Bercy, 1987.
The Wine Warehouses at Bercy, 1987.

© Collection Jean Pottier/Kharbine Tapabor

Pages 66-67
Robert Doisneau
À Bercy, 1974.
Bercy, 1974.

© Robert Doisneau/Rapho

Bruno Maso
Devant le Moulin-Rouge, 1986.
Outside the Moulin Rouge, 1986.
© Bruno Maso

Page 73
Bruno Maso
Place des Abbesses, 1986.
© Bruno Maso

Francis Campiglia
Chat en vitrine, années 1990.
Cat sat in a window in the 1990s.

Édouard Boubat
Le toit aux chats, 1947.
Rooftop meeting, 1947.
© Édouard Boubat/Rapho

John Gay
Chat de bibliothèque, 1974.
The Library Cat, 1974.
© Mary Evans/Rue des Archives

Page 79
Henri Cartier-Bresson
Le chat du café, 1953.
The Resident Cat at the Cafe, 1953.
© Henri Cartier-Bresson/Magnum Photos

Anonyme
Dans un jardin public.
Cat on a park bench.
© Rap/Roger-Viollet

Robert Doisneau
Rue de la Mare (20ᵉ arrt), 1972.

© Robert Doisneau/Rapho

Page 83
Édouard Golbin
À travers la grille, 1984.
Cat peeping through the railings, 1984.

© Édouard Golbin

Brassaï

Le chat du fleuriste, vers 1938.

The Florist's Cat, circa 1938.

© Centre Pompidou, MNAM-CCI,
Dist. RMN-Grand Palais/Jacques Faujour

Page 85

Martine Franck

Au métro Tuileries, 1977.

In Tuileries Metro Station, 1977.

© Martine Franck/Magnum Photos

John Gay
Par le trou d'une palissade,
années 1950.

*Cat looking through a hole
in a fence in the 1950s.*

© Mary Evans/Rue des Archives

Page 87
Joseph Koudelka
À bicyclette, 1973.

*Cat riding on a cyclist's
shoulders, 1973.*

© Josef Koudelka/Magnum Photos

Édouard Golbin
Chat livres.
The Bibliophile.
© Édouard Golbin

Page 90
Michel Sfez
Rue de l'Ermitage (20ᵉ arrt), 1979.
© Michel Sfez / Kharbine Tapabor

Peter Cornelius
Le chat aux journaux, vers 1960.
Cat sitting on a pile of papers,
circa 1960.

Anonyme
Le juste repos, vers 1920.
A Well-earned rest, circa 1920.
© Adoc-photos

Michel Sfez
Rue Burq (18ᵉ arrt), 1988.

Maurice Zalewski

Vue d'en haut, 1966.

Cat's-eye view, 1966.

© Maurice Zalewski/Rapho

Page 97

O-che

Un solitaire à Montmartre.

A Solitary soul in Montmartre.

© O-che/Gettyimages

Pages 98-99
Sanford H. Roth
Rue Jules-Chaplain (6ᵉ arrt).
© Sanford H. Roth/Sanchez-Ross/Rapho

Isabelle Chemin
Chat c'est Paris !
© Isabelle Chemin

Édition : François Besse et Mathilde Kressmann
Direction artistique : Isabelle Chemin
Traduction : Carly Jane Lock

Photogravure : ILC Point 4 (Paris)

Achevé d'imprimer en UE en mars 2018

Dépôt légal : mai 2014
ISBN : 978-2-84096-878-8